Mi mamut y yo

Joel Stewart

Stewart, Joel
    Mi mamut y yo / Joel Stewart ; traducción de María Villa. --
Bogotá : Grupo Editorial Norma, 2007.
    32 p. : il. ; 24 cm. -- (Buenas noches)
    Título original : Me and my Mammoth.
    ISBN 978-958-45-0064-9
    1. Cuentos infantiles ingleses 2. Animales - Cuentos infantiles
I. Villa, María, il. II. Tít. III. Serie.
I823.91 cd 21 ed.
A1114657

    CEP-Banco de la República-Biblioteca Luis Ángel Arango

Para Viv

Título original en inglés:
Me and My Mammoth

Copyright del texto y las ilustraciones © Joel Stewart, 2005
Edición original de Macmillan Children's Books, una división de
Macmillan Publishers Ltd, Londres.

Copyright 2007© Editorial Norma, S.A. de la versión en español para Latinoamérica y
el mercado de habla hispana en Estados Unidos.

Impreso en Colombia - printed in Colombia
Impreso por Cargraphics S.A.
Septiembre de 2009

Edición: Carolina Venegas
Traducción: Maria Villa
Diagramación y armada: Patricia Martínez

CC: 12249
ISBN: 978-958-45-0064-9

Mi mamut
y yo

Joel Stewart

Traducción de María Villa

GRUPO
EDITORIAL
norma

Bogotá, Barcelona, Buenos Aires, Caracas, Guatemala, Lima, México,
Miami, Panamá, Quito, San José, San Juan, San Salvador,
Santiago de Chile, Santo Domingo.

Me gusta hacer cosas.
Pero parece que las cosas que hago nunca
me salen como quiero.

Traté de hacer origami, pero
mi cisne de papel quedó un
poco extraño.

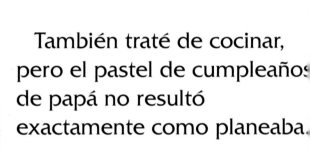

También traté de cocinar,
pero el pastel de cumpleaños
de papá no resultó
exactamente como planeaba.

Incluso traté de tejer…
aunque tal vez debí haber
empezado con algo más
sencillo que un par de guantes.

Cada vez que intento hacer alguna cosa, sale algo diferente. Es muy decepcionante.

Así que decidí conseguir un juguete listo para armar, con instrucciones y todo. No era posible equivocarse esta vez.

Pero, cuando terminé…

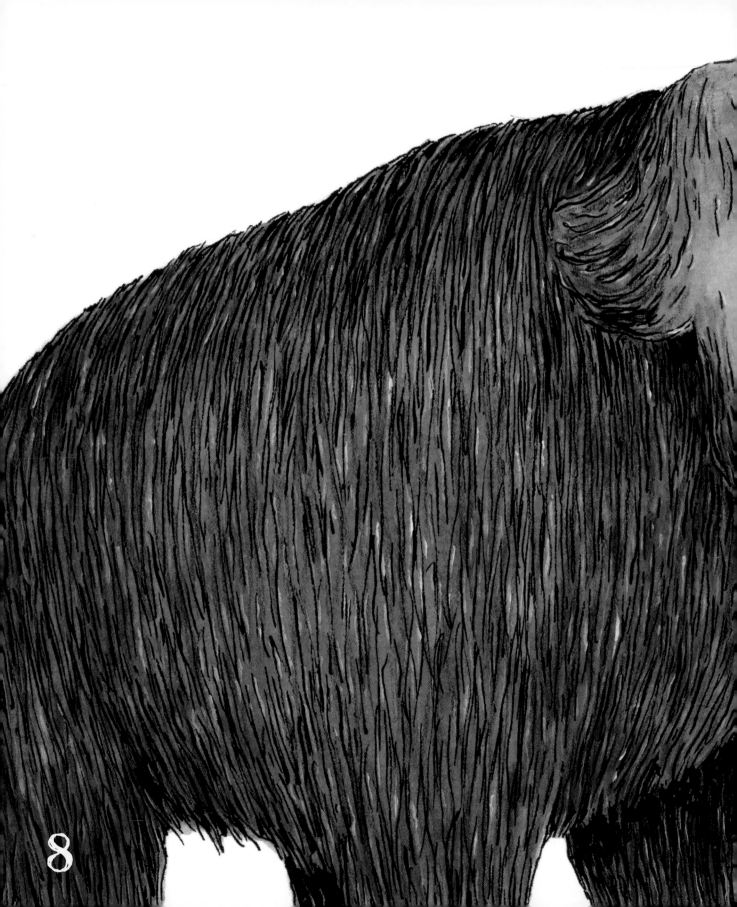

8

…era mucho más grande de lo que había imaginado.

Y no se parecía para nada a la foto de la caja.

9

Tuve que ponerlo en el cuarto de herramientas, porque en casa realmente no hay espacio para un mamut.

El mamut se veía bastante contento.

Creo que le gustaron mucho las herramientas... se escucharon los martillazos y los ruidos toda la noche.

Yo tenía tanta curiosidad que no pude dormir, así que salí de la cama...

...y fui hasta la ventana.

Al parecer, también al mamut le gustaba hacer cosas.

Y ahora quería llevarme con él de paseo.

"No te preocupes", pensé cuando me encaramé a bordo.

"Montar en mamut es como montar en una bicicleta peluda", me dije.

Entonces nos elevamos del suelo.

12

No sentí miedo mientras planeaba
sobre el pueblo, encima de un
mamut volador.

Después de un rato, incluso abrí los ojos.

14

¡Qué viaje!
Volar en mamut es la mejor forma de volar.

El aterrizaje fue complicado, pero luego conocimos a unos zorros árticos que se emocionaron mucho al vernos.

Me dieron una bonita ropa abrigada.

Y después nos invitaron…

17

¡a una competencia de escultura en hielo!

18

Bueno, yo no había hecho nada con hielo
antes, y me gustan los retos.
Así que opté por hacer una bonita bailarina.

19

No salió precisamente como lo
esperaba, pero no me importó para
nada.

Era un fabuloso estegosaurio.

Y los zorros árticos estaban
muy impresionados.

Pero lo mejor de todo fue…

21

...que hice un montón de amigos nuevos.

Se acercaba el momento de volver a casa cuando los zorros me entregaron su Premio Anual de Excelencia en escultura en hielo. Me sentí muy halagado.

Realmente no me acuerdo de
haber volado de vuelta a casa esa
noche.

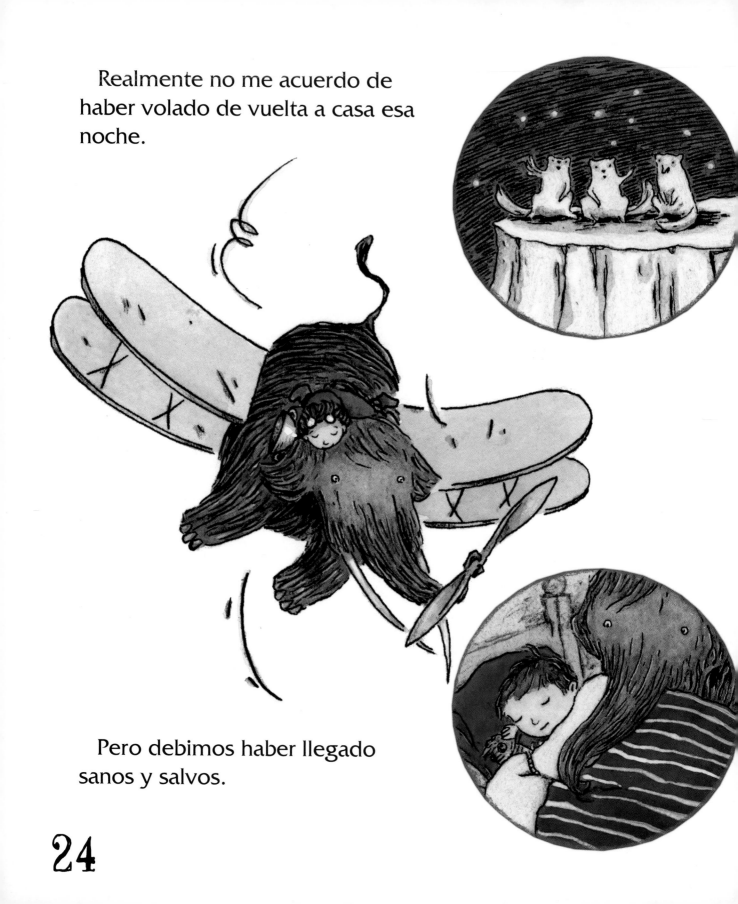

Pero debimos haber llegado
sanos y salvos.

24

Desde entonces, ya no me importa si trato de hacer una cosa y al final sale algo diferente.

Todavía me gusta hacer cosas.

Sí. Me gusta más que nunca.